AN RÉALTA THUAIDH

AN
BÉAR
BEAG

C900048202

AN
CÉACHTA

↑
Ó THUAIDH

Do mo mhac, Harland

Scríobh mé an leabhar seo
sa chéad dá mhí de do shaol
agus mé ag iarraidh ciall
a bhaint as an iomlán ar do shon.

Seo iad na rudaí ba chóir duit eolas
a bheith agat orthu, dar liom.

"Déanaimis riail nua don tsaol ón oíche seo amach: déanaimis
iarracht i gcónaí bheith níos cineálta ná mar is gá."

J. M. Barrie

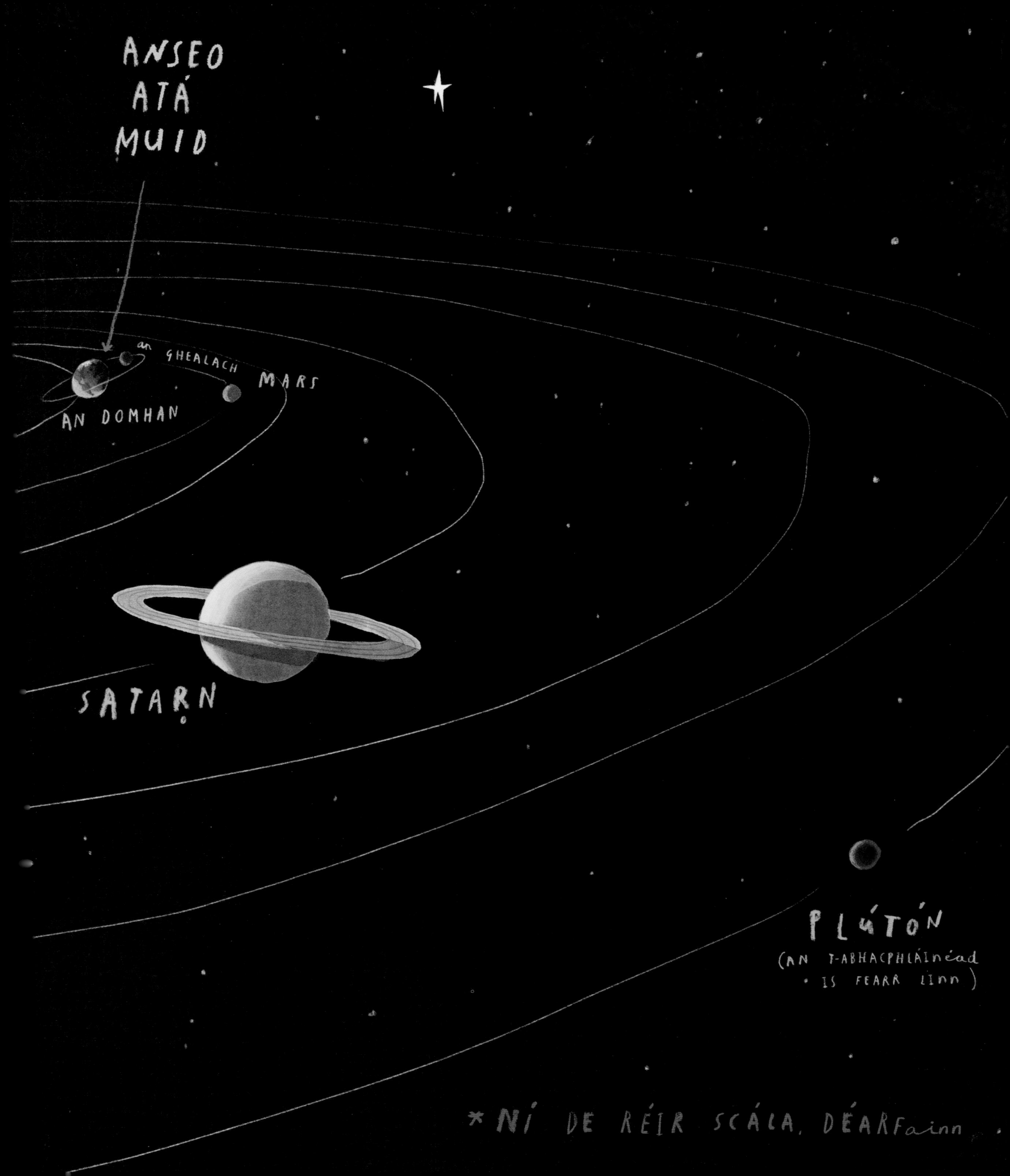
ANSEO ATÁ MUID
an GHEALACH
MARS
AN DOMHAN
SATARN
PLÚTÓN
(AN T-ABHACPHLÁINéad IS FEARR LINN)
*NÍ DE RÉIR SCÁLA, DÉARFainn.

Sé do bheatha.

Fáilte chuig an phláinéad seo.
Tugann muid an Domhan air.

Is ar an chruinneog mhór seo,
ar foluain sa spás,
a chónaíonn muid.

Tá muid sásta gur aimsigh tú muid
mar tá an spás millteanach mór.

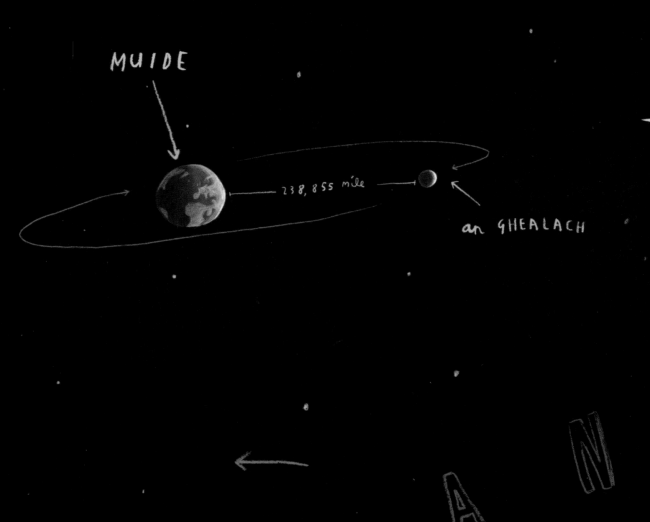

SPÁS

TÁ MARS
(an chéad phláinéad eile)
140 milliún míle
sa treo sin →

Tá cuid mhór le feiceáil agus le déanamh anseo
ar an Domhan. Seo linn ar thuras gasta le chéile.

Tá an pláinéad roinnte ina dhá chuid.

TALAMH
(CLOCH agus CRÉ)

FARRAIGE
(UISCE)

uisce FREISIN

Talamh FREISIN

Ar dtús, labhróidh muid faoin talamh.
Is air a sheasann muid anois díreach.
Tá a fhios againn cuid mhór faoin talamh.

Ansin, tá an fharraige ann,
í lán de rudaí iontacha.

Tá a fhios againn roinnt bheag faoin fharraige, ach labhróidh muid fúithi sin chomh luath is a bheidh snámh foghlamtha agat.

CNOC OIGHIR
(uisce reoite)

Beagnach
SEACHT MÍLE
AR DOIMHNE
(síleann muid)

Tá an spéir ann freisin.
Ach éiríonn sin measartha casta…

BEALACH NA BÓ FINNE
(NA billiún RÉALTAÍ agus PLÁINÉID eile)

RÉALTbhuíonta
(Pátrúin de Réaltaí)

Pláinéid
Eile

RÉALTAÍ
(LIATHRÓIDÍ gáis trú thine
iad i BHFAD ar SHIÚL, a
bhíonn le feiceáil san oíche.
Nuair nach bhfuil sé ag cur BÁISTÍ.)

... BHÍONN

NÉALTA
Stoirme

tintreach

AN
T-ATMAISFÉAR

FARRAIGE

Is leor sin anois.

Ar an phláinéad s'againne, tá daoine ann.
Daoine amháin, sin duine.
Is duine tusa. Tá corp agat.

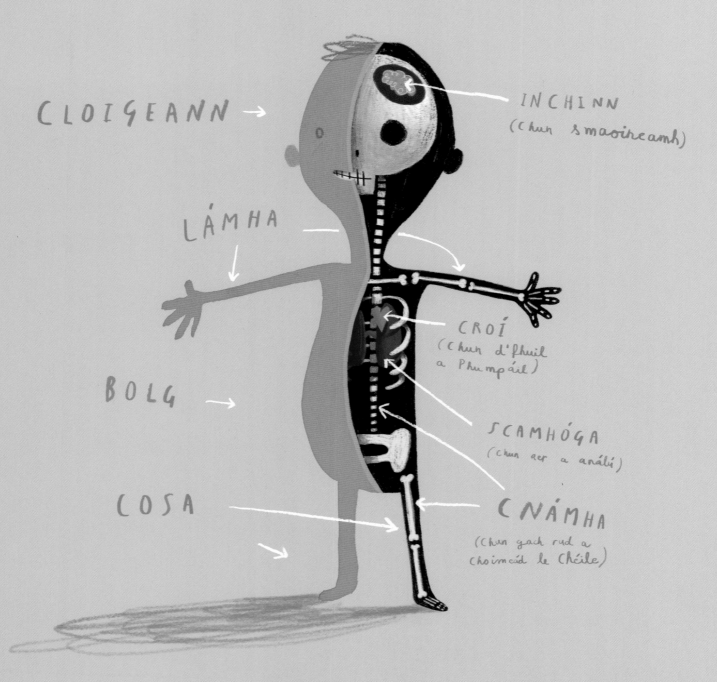

CLOIGEANN →

INCHINN
(chun smaoireamh)

LÁMHA

CROÍ
(chun d'fhuil
a Phumpáil)

BOLG →

SCAMHÓGA
(chun aer a análú)

COSA →

CNÁMHA
(chun gach rud a
choimeád le Chéile)

Tabhair aire dó, mar ní fhásann
mórán píosaí ar ais arís.

Píosaí a fhásann AR AIS

Ingne

Gruaig

Is iad na rudaí is tábhachtaí le déanamh
don duine ná ithe, ól agus coinneáil teolaí.

Is iomaí cineál duine atá ann.

Cé go bhfuil muid uilig difriúil
óna chéile ó thaobh cuma,
iompair agus fuaime de...

...ná bíodh dul amú ort, is daoine uilig muid.

Tá ainmhithe ann chomh maith.
Tá éagsúlacht iontach eatarthu, idir
chruth, mhéid agus dath.

Níor cheart domsa
bheith anseo

Níl caint acu, ach ní cúis ar bith
é sin gan bheith go deas leo.

TÁ AGAMSA!

B'fhéidir nach bhfuil caint agat féin go fóill ach oiread,
cé go bhfuil do chloigeann lán ceisteanna.

Bí foighneach, foghlaimeoidh tú an dóigh chun focail
a úsáid roimh i bhfad.

De ghnáth, nuair a bhíonn an ghrian amuigh, bíonn sé ina lá agus déanann muid rudaí.

An chuid eile den am, bíonn sé ina oíche. Bíonn sé dorcha, seachas solas na gealaí, agus codlaíonn muid.

(Le do thoil?)

Imíonn an t-am go fadálach anseo ar an Domhan, uaireanta.

De ghnáth, áfach, téann sé go tapa, mar sin bain úsáid mhaith as do chuid ama.

Beidh sé imithe
i gcaochadh na súl.

Tá cuid mhór dul chun cinn déanta againn.
Ach níl gach rud oibrithe amach go fóill,
mar sin tá neart fágtha duitse le déanamh.

Gheobhaidh tú amach cuid mhór rudaí fút féin.
Ach ná déan dearmad nótaí a fhágáil do gach duine eile.

Tá cuma mhór ar an Domhan.
Ach tá cuid mhór againn anseo

(7, 327, 450, 667 agus fós ag fás)

Mar sin de, bí cineálta.

Tá go leor ann do gach duine.

Bhuel, sin é an Domhan.

Bí cinnte go dtugann tú aire dó,
mar níl againn ach é.

Anois, má tá tuilleadh eolais uait, cuir ceist.

Ní bheidh mé
i bhfad ar shiúl.

Agus nuair nach bhfuilimse thart…

…is féidir ceist a chur
ar dhuine éigin eile.

Níl tú choíche i d'aonar ar an Domhan.

"Is iontach an mothú é amharc siar agus do phláinéad féin a fheiceáil mar phláinéad. Is peirspictíocht iomlán nua í, a thugann tuiscint dúinn, i bhfírinne, ar a leochailí is atá ár mbeatha."

– Dr Sally Ride, Spásaire agus Fisiceoir

"Níl ach trí fhocal de dhíth ort mar threoir sa tsaol, a mhic: meas, cinéaltas agus dea-thoil."

– Daid Oliver, duine maith tríd is tríd

Buíochas le

Hannah Coleman, Helen Mackenzie Smith, Rory Jeffers, Michael Green,
Judith Brinsford, Anna Mitchelmore, Paul Moreton, Patrick Reynolds,
Hayley Nichols, Geraldine Stroud, Ann-Janine Murtagh, Jen Loja,
Erin Allweiss, Timothee Verrecchia, Suzanne Jeffers
agus, ar ndóigh, Harland Jeffers.

Agus iad siúd ar fad a dhéanann, a dhíolann, a léann is a thacaíonn le mo
chuid leabhar.

Sliocht ar leathnach 4 ó J. M. Barrie's *The Little White Bird* 1902

Sliocht ó agallamh le Dr Sally Ride á úsáid le caoinchead
The American Academy of Achievement www.achievement.org

Foilsithe den chéad uair in 2017, faoi chlúdach crua, ag HarperCollins,Children's Books faoin teideal
'Here We Are: Notes for Living on Planet Earth'

Téacs agus Maisiú © Oliver Jeffers 2017
An Leagan Gaeilge © Futa Fata 2018
An dara cló © Futa Fata 2021

ISBN: 978-1-910945-39-1

Dearadh, idir leabhar agus chlúdach: Anú Design, Teamhair na Rí

Peannaireacht lámhscríofa: Tarsila Krüse

Tá Futa Fata buíoch de Chomhairle Ealaíon Thuaisceart Éireann faoi thacú le foilsiú an leabhair seo.

PRINCIPAL FUNDER

arts
council
of Northern Ireland

Futa Fata,
An Spidéal,
Co. na Gaillimhe,
Éire
www.futafata.ie

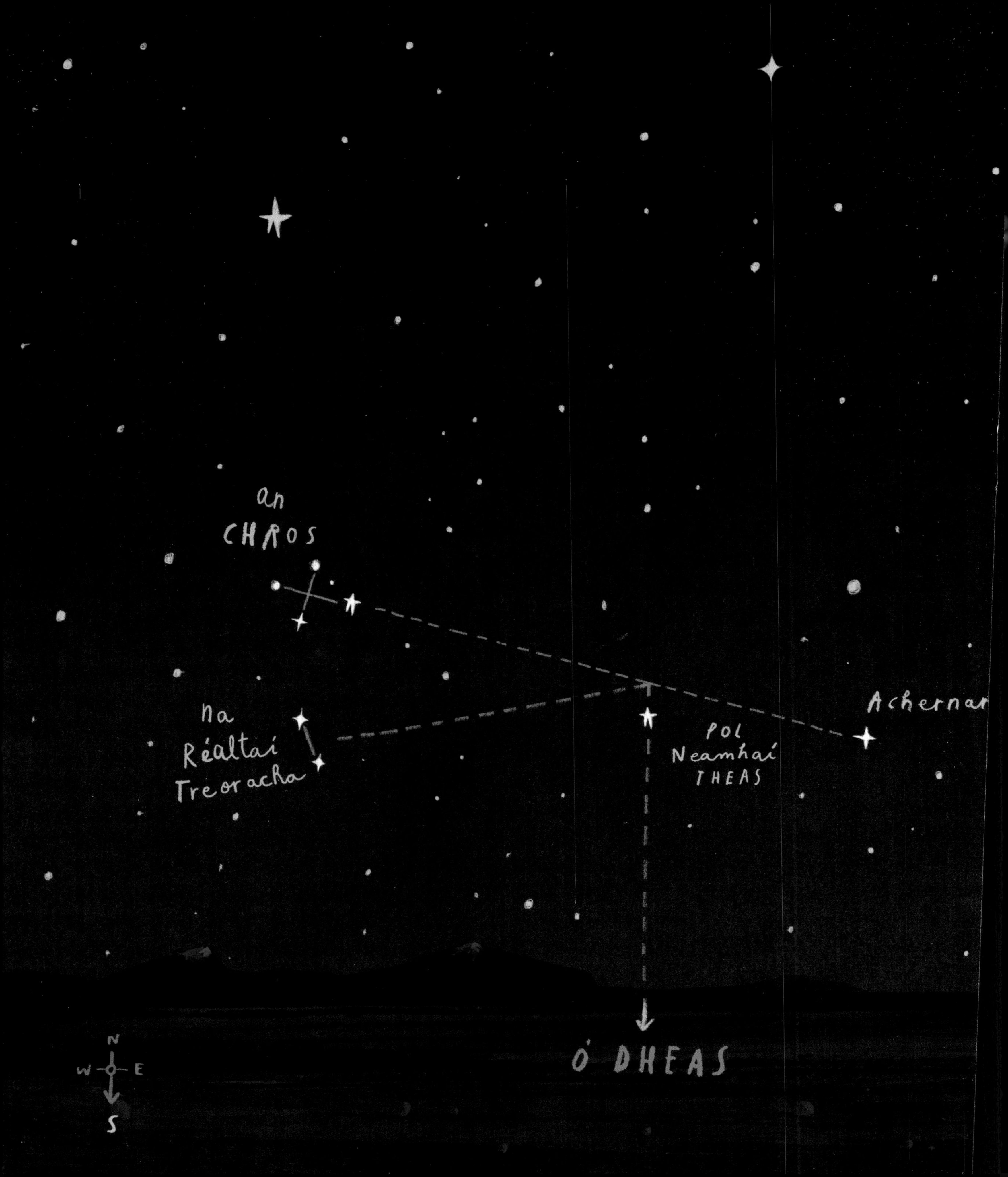

an
CHROS

na
Réaltaí
Treoracha

POL
Neamhaí
THEAS

Achernar

N
W ⊙ E
S

Ó DHEAS